Buenas noches,

pequeñín

PaRRagon

Bath · New York · Singapore · Hong Kong · Cologne · Delhi
Melbourne · Amsterdam · Johannesburg · Auckland · Shenzhen

Pequeño *burrito*, adónde caminas
esta clara noche colina arriba,

mientras observas la luna cercana.

Cierra los ojos, *burrito,*
y *hasta mañana.*

Dulce *monito* que te diviertes
jugando alegre al atardecer.
Deja ya de saltar de rama en rama.

Cierra los ojos, *monito*,
y *hasta mañana*.

Blancas *ovejitas* que pacéis,
la noche ha caído ya, ¿lo veis?

Hacia el redil vais todas con desgana.
Cerrad los ojos, *ovejitas*, y *hasta mañana*.

Alegre *cerdito*, tú que vas de charco
en charco gruñendo sin descanso.

Deja ya todo este alboroto.

Cierra los ojos, cerdito,
y hasta mañana.

Pajaritos que trináis en el nido,
la noche oscura ya ha caído.
Guardad la cabecita bajo el ala.
Cerrad los ojos, *pajaritos*,
y *hasta mañana*.

La gata guarda en el granero
a sus cinco mininos con esmero.
Arrebujaos, gatitos, en su larga cola.

Cerrad los ojos, *mininos,*
y *hasta mañana.*

Mi *niño* pequeño, por fin descansas
tranquilo con tu osito entre las mantas,
mientras las estrellas brillan en la ventana.

Cierra los ojos, *mi niño,*
y hasta mañana.